# 在全国民族团结进步表彰大会上的讲话

（2019年9月27日）

习 近 平

人 民 出 版 社

# 在全国民族团结进步表彰大会上的讲话

（2019 年 9 月 27 日）

习　近　平

**同志们，朋友们：**

在中华人民共和国成立 70 周年前夕，我们隆重召开全国民族团结进步表彰大会。首先，我代表党中央、国务院，向受到表彰的模范集体和个人，表示热烈的祝贺！向全国民族工作战线的同志们，向关心和支持民族团结进步事业的各方面人士，表示诚挚的问候！希望受到表彰的同志们珍惜荣誉、发扬成绩，为不断巩固和发展中华民族大团结再立新功！

70 年前，我国各族人民在中国共产党领导下，共同缔造了新中国。我们党创造性地把马克思主义民族理论同中国民族问题具体实际相结合，走出一条中国特色解决民族问题的正确道路，确立了党的民族理论和民族政策，把民族平等作为立国的根本原则之一，确立了民族区域自治制度，各族人民在历史上第一次真正获得了平等的政治权利、共同当家做了主人，终结了旧中国民族压迫、纷争的痛苦历史，开辟了发展各民族平等团结互助和谐关系的新纪元。我们全力帮助少数民族和民族地区加快发展，保护和传承各民族优秀传统文化，少数民族群众生活和民族地区经济社会发展获得了历史上前所未有的进步。

党的十八大以来，党中央就民族工作作出一系列重大决策部署，推动我国民族团结进步事业取得了新的历史性成就。7 年来，我十几次到民族地区调研，在雪域高原、天山南北，在祖国北疆、西南边陲，亲眼看到了民族地区面貌日新月异、少数民族群众生活蒸蒸日上。7 年来，民族地区累计减贫 2500 多万人，贫困发生率从 21% 下降到 4%。7 年来，我多次同各族群众面对面交流，收到了各族群众许多来信。中华民族一家亲、同心共筑中国梦，这是新时代我国民族团结进步事业的生动写照，也是新时代民族工作创新推进的鲜明特征。

70 年沧海桑田、波澜壮阔，少数民族的面貌、民族地区的面貌、民族关系的面貌、中华民族的面貌都发生了翻天覆地的历史性巨变。

70 年的成就值得自豪，70 年的经验尤须铭记。我们坚持准确把握我国统一的多民族国家的基本国情，把维护国家统一和民族团结作为各民族最高利益；坚持马克思主义民族理论中国化，坚定走中国特色解决民族问题的正确道路；坚持和完善民族区域自治制度，做到统一和自治相结合、民族因素和区域因素相结合；坚持促进各民族交往交流交融，不断铸牢中华民族共同体意识；坚持加快少数民族和民族地区发展，不断满足各族群众对美好生活的向往；坚持文化认同是最深层的认同，构筑中华民族共有精神家园；坚持各民族在法律面前一律平等，用法律保障民族团结；坚持在继承中发展、在发展中创新，使党的民族政策既一脉相承又与时俱进；坚持加强党对民族工作的领导，不断健全推动民族团结进步事业发展的体制机制。

同志们、朋友们！

我们伟大的祖国，幅员辽阔，文明悠久，中华民族多元一体是先人们留给我们的丰厚遗产，也是我国发展的巨大优势。

——我们辽阔的疆域是各民族共同开拓的。"邦畿千里，维民所止。"各族先民胼手胝足、披荆斩棘，共同开发了祖国的锦绣河山。自古以来，中原和边疆人民就是你来我往、频繁互动。特别是自秦代以来，既有汉民屯边，又有边民内迁，历经几次民族大融合，各民族你中有我、我中有你，共同开拓着脚下的土地。秦代设置南海郡、桂林郡管理岭南地区，汉代设立西域都护府统辖新疆，唐代创设了800多个羁縻州府经略边疆，元代设宣政院管理西藏，明代清代在西南地区改土归流，历朝历代的各族人民都对今日中国疆域的形成作出了重要贡献。今天，960多万平方公里的国土富饶辽阔，这是各族先民留给我们的神圣故土，也是中华民族赖以生存发展的美丽家园。

——我们悠久的历史是各民族共同书写的。早在先秦时期，我国就逐渐形成了以炎黄华夏为凝聚核心、“五方之民”共天下的交融格局。秦国“书同文，车同轨，量同衡，行同伦”，开启了中国统一的多民族国家发展的历程。此后，无论哪个民族入主中原，都以统一天下为己任，都以中华文化的正统自居。分立如南北朝，都自诩中华正统；对峙如宋辽夏金，都被称为“桃花石”；统一如秦汉、隋唐、元明清，更是“六合同风，九州共贯”。秦汉雄风、大唐气象、康乾盛世，都是各民族共同铸就的历史。今天，我们实现中国梦，就要紧紧依靠各族人民的力量。

——我们灿烂的文化是各民族共同创造的。中华文化是各民族文化的集大成。我国各民族创作了诗经、楚辞、汉赋、唐诗、宋词、元曲、明清小说等伟大作品，传承了格萨尔王、玛纳斯、江格尔等震撼人心的伟大史诗，建设了万里长城、都江堰、大运河、故宫、布达拉宫、坎儿井等伟大工程。中华文化之所以如此精彩纷呈、博大精深，就在于它兼收并蓄的包容特性。展开历史长卷，从赵武灵王胡服骑射，到北魏孝文帝汉化改革；从“洛阳家家学胡乐”到“万里羌人尽汉歌”；从边疆民族习用“上衣下裳”“雅歌儒服”，到中原盛行“上衣下裤”、胡衣胡帽，以及今天随处可见的舞狮、胡琴、旗袍等，展现了各民族文化的互鉴融通。各族文化交相辉映，中华文化历久弥新，这是今天我们强大文化自信的根源。

——我们伟大的精神是各民族共同培育的。在历史长河中，农耕文明的勤劳质朴、崇礼亲仁，草原文明的热烈奔放、勇猛刚健，海洋文明的海纳百川、敢拼会赢，源源不断注入中华民族的特质和禀赋，共同熔铸了以爱国主义为核心的伟大民族精神。昭君出塞、文成公主进藏、凉州会盟、瓦氏夫人抗倭、土尔扈特万里东归、锡伯族万里戍边等就是这样的历史佳话。近代以后，面对亡国灭种的空前危机，各族人民共御外侮、同赴国难，抛头颅、洒热血，共同书写了中华民族艰苦卓绝、气壮山河的伟大史诗。其中涌现出一大批少数民族的卫国英烈、建党先驱、工农运动领袖、抗日英雄、开国将领，为民族独立和人民解放作出了不可磨灭的历史贡献。“人心所归，惟道与义。”在百年抗争中，各族人民血流到了一起、心聚在了一起，共同体意识空前增强，中华民族实现了从自在到自觉的伟大转变。中华民族精神是各族人民共同培育、继承、发展起来的，已深深融进了各族人民的血液和灵魂，成为推动中国发展进步的强大精神动力。

一部中国史，就是一部各民族交融汇聚成多元一体中华民族的历史，就是各民族共同缔造、发展、巩固统一的伟大祖国的历史。各民族之所以团结融合，多元之所以聚为一体，源自各民族文化上的兼收并蓄、经济上的相互依存、情感上的相互亲近，源自中华民族追求团结统一的内生动力。正因为如此，中华文明才具有无与伦比的包容性和吸纳力，才可久可大、根深叶茂。

同志们、朋友们！

中国特色社会主义进入新时代，中华民族迎来了历史上最好的发展时期。同时，面对复杂的国内外形势，我们更要团结一致、凝聚力量，确保中国发展的巨轮胜利前进。

各族人民亲如一家，是中华民族伟大复兴必定要实现的根本保证。实现中华民族伟大复兴的中国梦，就要以铸牢中华民族共同体意识为主线，把民族团结进步事业作为基础性事业抓紧抓好。我们要全面贯彻党的民族理论和民族政策，坚持共同团结奋斗、共同繁荣发展，促进各民族像石榴籽一样紧紧拥抱在一起，推动中华民族走向包容性更强、凝聚力更大的命运共同体。

第一，坚持党的领导，团结带领各族人民坚定走中国特色社会主义道路。实践证明，只有中国共产党才能实现中华民族的大团结，只有中国特色社会主义才能凝聚各民族、发展各民族、繁荣各民族。我们要坚持党的领导，不忘初心、牢记使命，坚持走中国特色解决民族问题的正确道路，坚持和完善民族区域自治制度，加强党的民族理论和民族政策学习以及民族团结教育，以铸牢中华民族共同体意识为主线做好各项工作，把各族干部群众的思想和行动统一到党中央决策部署上来，不断增强各族群众对伟大祖国、中华民族、中华文化、中国共产党、中国特色社会主义的认同。

第二，把各族人民对美好生活的向往作为奋斗目标，确保少数民族和民族地区同全国一道实现全面小康和现代化。中华民族是一个大家庭，一家人都要过上好日子。没有民族地区的全面小康和现代化，就没有全国的全面小康和现代化。我们要加快少数民族和民族地区发展，推进基本公共服务均等化，提高把“绿水青山”转变为“金山银山”的能力，让改革发展成果更多更公平惠及各族人民，不断增强各族人民的获得感、幸福感、安全感。要完善差别化的区域政策，优化转移支付和对口支援机制，实施好促进民族地区和人口较少民族发展、兴边富民行动等规划，谋划好“十四五”时期少数民族和民族地区发展，让各族人民共创美好未来、共享中华民族新的光荣和梦想。

第三，以社会主义核心价值观为引领，构建各民族共有精神家园。文化是一个民族的魂魄，文化认同是民族团结的根脉。各民族在文化上要相互尊重、相互欣赏，相互学习、相互借鉴。在各族群众中加强社会主义核心价值观教育，牢固树立正确的祖国观、民族观、文化观、历史观，对构筑各民族共有精神家园、铸牢中华民族共同体意识至关重要。要以此为引领，推动各民族文化的传承保护和创新交融，树立和突出各民族共享的中华文化符号和中华民族形象，增强各族群众对中华文化的认同。要搞好民族地区各级各类教育，全面加强国家通用语言文字教育,不断提高各族群众科学文化素质。要把加强青少年的爱国主义教育摆在更加突出的位置,把爱我中华的种子埋入每个孩子的心灵深处。要牢牢把握舆论主动权和主导权,让互联网成为构筑各民族共有精神家园、铸牢中华民族共同体意识的最大增量。

第四,高举中华民族大团结的旗帜,促进各民族交往交流交融。70 年来特别是改革开放以来,各民族在社会生活中紧密联系的广度和深度前所未有,我国大散居、小聚居、交错杂居的民族人口分布格局不断深化,呈现出大流动、大融居的新特点。我们要顺应这种形势,出台有利于构建互嵌式社会结构的政策举措和体制机制,完善少数民族流动人口服务管理体系,促进各民族共建美好家园、共创美好未来。要把民族团结进步创建全面深入持久开展起来,创新方式载体,推动进机关、进企业、进社区、进乡镇、进学校、进连队、进宗教活动场所等。大汉族主义和地方民族主义都是民族团结的大敌,要坚决反对。

第五,依法治理民族事务,确保各族公民在法律面前人人平等。要全面贯彻落实民族区域自治法，健全民族工作法律法规体系，依法保障各民族合法权益。要坚持一视同仁、一断于法，依法妥善处理涉民族因素的案事件，保证各族公民平等享有权利、平等履行义务，确保民族事务治理在法治轨道上运行。对各种渗透颠覆破坏活动、暴力恐怖活动、民族分裂活动、宗教极端活动，要严密防范、坚决打击。

做好新形势下民族工作，必须加强党对民族工作的领导。各级党委要把民族工作摆上重要议事日程，把懂不懂民族工作、会不会搞民族团结作为考察领导干部的重要内容。要加强民族领域基础理论问题和重大现实问题研究，创新中国特色社会主义民族理论政策的话语体系，提升在国际上的影响力和感召力。要夯实基层基础，推动党政机关、企事业单位、民主党派、人民团体一起做好民族工作。要重视民族工作干部队伍建设，大力培养选拔少数民族干部和各类人才，支持民族工作部门更好履职尽责。

同志们、朋友们！

实现中华民族伟大复兴，需要各民族手挽着手、肩并着肩，共同努力奋斗。让我们更加紧密地团结在党中央周围，团结一心，开拓进取，为推进我国民族团结进步事业，为实现“两个一百年”奋斗目标、实现中华民族伟大复兴的中国梦而继续奋斗！

**图书在版编目(CIP)数据**

在全国民族团结进步表彰大会上的讲话/习近平 著. —北京：
人民出版社,2019.10
ISBN 978-7-01-021420-7

Ⅰ.①在…　Ⅱ.①习…　Ⅲ.①习近平-讲话②民族工作-中国-学习参考资料　Ⅳ.①D2-0②D633

中国版本图书馆 CIP 数据核字(2019)第 217227 号

(RMC-ZJDXI-080-20190927)

**在全国民族团结进步表彰大会上的讲话**

ZAI QUANGUO MINZU TUANJIE JINBU BIAOZHANG DAHUI SHANG DE JIANGHUA

(2019 年 9 月 27 日)

**习　近　平**

人民出版社 出版发行
(100706　北京市东城区隆福寺街 99 号)

北京新华印刷有限公司印刷　新华书店经销

2019 年 10 月第 1 版　2019 年 10 月北京第 1 次印刷
开本:880 毫米×1230 毫米 1/32　印张:0.5
字数:7 千字

ISBN 978-7-01-021420-7　定价:2.00 元

邮购地址 100706　北京市东城区隆福寺街 99 号
人民东方图书销售中心　电话 (010)65250042　65289539